D0091518

COLLECTION
Cascade

JEAN ALESSANDRINI

MYSTÈRE EXPRESS

ILLUSTRATIONS DE
CHRISTOPHE BESSE

RAGEOT-ÉDITEUR

Collection dirigée par Caroline Westberg

ISBN 2-7002-2301-2
ISSN 1142-8252

ATTENTION AU DÉPART

La grosse horloge de la gare indique dix heures tapantes. Parmi les trains annoncés, l'express de 10 h 54 à destination de Villedeau-sur-Gloupe est déjà formé. Sagement rangés le long du quai de départ, les onze wagons, motrice en tête, attendent les premiers voyageurs.

Justement, voici venir la famille Trousseau qui traverse le hall côté grandes lignes. Monsieur et madame Trousseau portent les valises de leurs enfants, Mélanie et Timothée. Les enfants, eux, se sont partagé les sacs en plastique contenant la lecture et les paniers-repas.

– Quai 6... Nous y sommes ! annonce monsieur Trousseau.

– On arrive toujours au moins trois heures à l'avance ! exagère nettement Timothée. C'est vrai, regardez. Il n'y a encore personne !

Comme pour le démentir, un wagonnet isotherme tiré par un tracteur électrique apparaît au détour des butoirs. Il est escorté par un cuisinier portant la traditionnelle toque bouffante et par trois serveurs en veste blanche coiffés de calots empesés.

– On arrive même avant les employés du train ! renchérit le garçon.

– Arrête donc de râler ! se fâche son père. De toute façon, il vaut mieux être en avance qu'en retard.

Le cuisinier et les trois commis se sont immobilisés une cinquantaine de mètres plus loin. On les voit décharger les bacs de nourriture et les transporter dans le wagon-restaurant.

– Ah ! Voilà la voiture 10, reprend monsieur Trousseau.

– En plus, on n'a pas eu à aller loin, rouspète encore Timothée. Notre voiture est la dernière du train !

– Montez, les enfants. Je vous passe les bagages.

Ils escaladent le marchepied et pénètrent dans le couloir. Mélanie part en reconnaissance. Elle déchiffre sur les billets « places 14 et 16 ».

– C'est un wagon à compartiments, dit-elle. Et nous sommes encore dans le dernier.

Son frère dégage la porte à glissière.

– Chic ! s'exclame-t-il. On a le coin fenêtre dans le sens de la marche !

Monsieur Trousseau les a rejoints. Il les aide à ranger valises et sacs dans le porte-bagages. Cette corvée accomplie, ils redescendent.

– Alors, les enfants, vous avez bien compris, répète pour la centième fois madame Trousseau. Papi et mamie vous attendront sur le quai. D'ailleurs il n'y a pas à se tromper : le train est direct, et Villedeau-sur-Gloupe est le terminus.

– Vous arrivez à 15 h 18, précise le père. Un peu plus de quatre heures de voyage.

– Pffff… Interminable, ronchonne Timothée.

Madame Trousseau continue ses recommandations :

– Surtout, ne vous penchez jamais à la fenêtre. Et si vous allez aux toilettes, faites très attention de ne pas confondre la porte avec celle qui donne sur la voie…

– Il faudrait être drôlement saoul ! pirouette le garçon en imitant la démarche titubante d'un ivrogne.

– Timo ! Cesse de faire le singe et écoute ce que dit ta mère !

– Tu nous dis ça à chaque fois, maman, soupire Mélanie. On n'est plus des bébés !

C'est vrai, ce ne sont plus des bébés. Ils viennent d'avoir dix ans. Le même jour. Des jumeaux, donc, mais qui poussent l'originalité et l'esprit de contradiction jusqu'à ne pas se ressembler du tout, ni par l'allure, ni par le caractère.

Tandis qu'ils bavardent, le gros des voyageurs commence à affluer.

– C'est une veille de vacances. Il y aura du monde, prédit madame Trousseau.

10 h 35. Les enfants sont remontés dans le wagon. Pendus à la fenêtre du couloir, vitre baissée, ils échangent avec leurs parents les dernières banalités d'usage.

10 h 50. Ce n'est pas la première fois que Mélanie et Timothée voyagent seuls, pourtant, il y a toujours cette minute

d'émotion au moment du départ, ce petit pincement au cœur que les grandes personnes éprouvent aussi sans trop oser le montrer...

10 h 54. Ça y est. Le train démarre.

Mouchoirs agités au vent, caricature d'adieux déchirants...

– On se téléphone ce soir !

– C'est ça !

Ah ! Les inévitables retardataires. Trois hommes engoncés dans des imperméables piquent un sprint sur le quai. Ils atteignent le marchepied et agrippent la barre de la portière encore entrouverte. Ouf ! Les voilà à l'intérieur... Mais c'était de justesse !

C'est sûr : il vaut mieux arriver en avance qu'en retard.

SANS CRIER GARE

Le compartiment est plein à craquer.

– Prem's ! fait Timothée, la bouille réjouie.

Et il se précipite d'autorité vers le coin fenêtre, écrasant au passage quelques orteils.

Mélanie rejoint la place à côté de son frère.

À ce moment, chacun dresse l'oreille. Le grésillement caractéristique du haut-parleur intérieur précède la diffusion du message habituel : « Mesdames et messieurs, vous êtes à bord du train direct pour Villedeau-sur-Gloupe. Nous vous informons qu'un service de restauration sera assuré vers 12 h 30 dans la voiture située au centre du convoi. Un chariot mini-bar est également à votre disposition. Nous vous souhaitons un agréable voyage. »

Le nez contre la vitre, Timothée regarde le décor de la ville qui, peu à peu, se transforme en décor de banlieue. Tout à l'heure, ce sera un décor de campagne.

Le train gagne de la vitesse.

Mélanie examine les voyageurs à la dérobée. À sa gauche, une vieille dame ratatinée essaie de se concentrer sur son livre, mais n'y parvient pas. Si elle n'y parvient pas, c'est à cause de son voisin du coin couloir, une espèce de gros type à face de tapir mal embouché qui déborde de leur accoudoir commun. Il faut dire que le type renifle régulièrement toutes les dix secondes

– Fnif ! – et que, quand il ne renifle pas, c'est pour plier, déplier et replier furieusement son malheureux journal. Sur la banquette opposée, il y a un couple de jeunes gens, probablement très sportifs à en juger par le matériel de camping impressionnant qu'ils ont eu toutes les peines du monde à hisser dans le porte-bagages. À côté d'eux, une autre dame, lunettes sur le front, est plongée dans ses mots croisés.

La fillette s'attarde sur le voyageur du coin fenêtre. Timothée qui est assis juste en face, aussi. Il s'agit d'un curieux bonhomme qui porte une grosse barbe rousse et un chapeau aux bords gondolés rabattus sur d'épaisses lunettes noires. Malgré la chaleur, il n'a pas retiré son vieux pardessus ni une écharpe de laine mitée qui lui fait deux tours de cou. Il tient un panier d'osier sur les genoux et n'arrête pas de tambouriner avec ses doigts sur le couvercle.

Mélanie et son frère adorent les animaux. Ils plissent les paupières pour distinguer ce qu'il y a à l'intérieur du panier, mais ils ne réussissent à entrevoir que deux petits yeux brillants.

– Moi, j'aime bien les chats, confie Mélanie à brûle-pourpoint, histoire d'engager la conversation.

À peine a-t-elle dit cela que, depuis le panier, s'élève un langoureux « Miaooouu ! »

Les dames lèvent les yeux. Les jeunes gens haussent un sourcil indifférent. Le tapir du coin couloir – Fnif ! Fnif ! – continue de triturer consciencieusement son journal.

– Moi, je préfère les chiens, chipote Timothée.

L'animal du panier n'est pas contrariant : il laisse entendre un timide mais bien distinct « Ouah ! Ouah ! »

Les enfants se regardent, un peu surpris. Le panier n'est pas assez grand pour contenir deux animaux... Surtout un chien et un chat !

Soudain, le bonhomme sursaute. Les trois retardataires en imperméable viennent d'apparaître derrière la porte vitrée et ils se mettent à dévisager chaque voyageur. Le barbu au panier se trémousse sur sa banquette. Il a l'air dans ses petits souliers. Mais bientôt les trois hommes s'effacent pour céder le passage au contrôleur. Celui-ci ouvre la portière. Avec son air sévère, son énorme nez rouge et ses moustaches en guidon de bicyclette, il n'est pas du genre à passer inaperçu.

17

Timothée, qui n'en rate pas une, pousse sa sœur du coude et lui murmure à l'oreille :

– Dis donc, tu as vu ce nez... et ces moustaches... C'est pas possible, il s'est échappé d'un cirque !

– Bonjour messieurs dames. Billets, s'il vous plaît.

Chacun tend son billet.

Curieusement, le contrôleur ne les poinçonne pas. Il les ramasse un par un et les range dans sa sacoche.

– Vous ne nous les rendez pas ? s'étonne la dame aux mots croisés.

– Pas tout de suite, répond le nez à moustaches. On nous a signalé une erreur dans le marquage informatique. Il faut vérifier tout ça.

Tandis que le contrôleur s'éloigne dans le couloir désert, le bonhomme au panier se lève sans crier gare et se dépêche de sortir.

TIENS, TIENS...

Le train roule maintenant à pleine vitesse. Cela fait plus d'une heure qu'il
est parti. Les voyageurs se sont déjà
installés dans leurs petites habitudes.
Timothée a très vite abandonné la lecture de son livre pour se consacrer au
paysage. Clochers, rivières, collines, prai-
ries se succèdent sous un soleil qui joue

à cache-cache avec les nuages. Quand une forêt se présente, il secoue la tête mécaniquement afin de suivre le défilé précipité des arbres bordant la voie. En réalité, il s'ennuie ferme. Mélanie aussi a délaissé son livre. Elle contemple, songeuse, la place vide du bonhomme au panier. Le bruit de la portière qui coulisse et claque brutalement la sort de sa rêverie. Est-ce le retour du barbu ? Non. Un autre contrôleur. Probablement pour rendre les billets. Celui-ci ne ressemble pas au précédent. Il est plus petit, plus ramassé, et surtout moins pittoresque.

– Billets, s'il vous plaît.

Chacun le regarde, assez ébahi.

– Pas possible… Fnif ! C'est une blague ! renifle Tapir grincheux.

Ne voyant rien venir, l'homme à la casquette appuie sa demande en tapotant le cadre de la portière de sa pince à composter.

– Allons, allons… Billets, s'il vous plaît !

La vieille dame ratatinée se dévoue :

– Mais… Nous ne les avons plus ! Votre collègue est déjà passé, et il les a emportés avec lui.

Étonnement du préposé.

– Mon collègue ? Quel collègue ? Je suis le seul contrôleur à bord de ce train ! Qu'est-ce que c'est que cette histoire ?

On la lui raconte, avec, en prime, le signalement de l'imposteur. Ce luxe de détails achève de le convaincre. L'homme rejette sa casquette en arrière et gratte son crâne dégarni. Il marque un temps de réflexion et s'exclame :

– Par tous les pullmans de l'Orient-Express ! Un faux contrôleur ! On aura tout vu… Si jamais je pince ce loustic, je vous garantis qu'il passera un mauvais quart d'heure !

– Il a pris une sacrée avance, calcule Mélanie. Si vous voulez le rattraper, dépêchez-vous, sinon il va rafler tous les billets du train !

– Il fait peut-être la collection, plaisante Timothée, d'ores et déjà gagné à la cause du filou.

Dès que le contrôleur a fermé la porte, chacun y va de son commentaire. Et puis, la conversation retombe. On oublie l'incident. Seuls, dans leur coin, Mélanie et Timothée continuent à discuter à voix basse.

– Tu as vu ? Il n'est toujours pas revenu, fait remarquer la fillette en mon-

trant la place vide du bonhomme au panier.

Le garçon ricane :

– Il est peut-être coincé dans les toilettes !

Mélanie hausse les épaules.

– On ne peut jamais parler sérieuse-
ment !

– Bah... Il avait la bougeotte. Il est
allé faire un tour avec son chien...

– C'était un chat !

– Mettons un chien enroué qui avait
un chat dans la gorge !

La fillette sourit franchement.

– Si tu veux.

– Au fait, il est peut-être au wagon-
restaurant...

– Non... Ce n'est pas le genre. Et
puis, il est parti bien trop tôt.

– Ou alors, il a changé de place.

Mélanie montre le porte-bagages.

– Sans prendre sa valise ?

– Bof... Ce ne serait pas une grosse
perte. Tu as vu... Elle est toute déglin-
guée. Elle ne doit contenir que du linge
sale !

– Je me demande...

– Ho ! Dis donc. Après tout, ça ne nous regarde pas !

– C'est bizarre, marmonne la fillette. Il avait l'air drôlement inquiet en voyant ces trois hommes.

– Ça y est. Mademoiselle Trousseau nous invente un roman !

– En plus, je parie qu'il portait une fausse barbe.

Le garçon pouffe de rire.

– Le premier contrôleur, c'était plutôt un faux nez !

– Et celui-là, où est-il passé avec nos billets ?

Timothée, cette fois, prend un air renfrogné.

– Oh ! Arrête ! Toi et ta manie de voir des mystères partout !

– Mystère ou pas, j'ai bien envie de tirer tout ça au clair, décide Mélanie. D'ailleurs, ça nous occupera. On en a encore au moins pour trois heures de voyage et mon bouquin n'est vraiment pas génial…

– Le mien non plus !

Ils sont interrompus par un nouveau message du haut-parleur : « Nous informons mesdames et messieurs les voyageurs que le wagon-restaurant sera à leur disposition dans une demi-heure. »

Dès la fin de l'annonce, Tapir grincheux – Fnif ! – a pétri son journal en boule et s'est dressé d'un bond. Les enfants le regardent sortir.

– Un sacré glouton ! s'esclaffe Timothée. C'est tout juste s'il n'avait pas déjà sa serviette autour du cou !

– Écoute, reprend Mélanie, conciliante, voilà ce que je te propose : on avale nos sandwiches et on y va.

– D'accord. Je descends les paniers-repas.

Leur casse-croûte expédié, les deux enfants sortent à leur tour. En route pour la grande aventure !

Ils empruntent le couloir, stationnant devant chaque portière pour inspecter l'intérieur des compartiments. Quand ils sont au bout du wagon, Mélanie dresse un premier bilan :

– Bon. Il n'est pas dans cette voiture.

– Et il n'y avait personne dans les toilettes, ajoute Timothée qui s'est pris au jeu.

– Passons à la suivante.

Ils ouvrent la portière de séparation. Dans le soufflet de raccordement, on entend l'écho amplifié du frottement des roues sur les rails.

L'exploration du deuxième et du troisième wagon ne donne pas plus de résultats. Dans le couloir du quatrième, ils doivent rebrousser chemin pour laisser passer le chariot du mini-bar.

Le serveur ouvre les portières et propose aux voyageurs :

– Café ! Sandwiches ! Boissons fraîches !

Les deux voitures suivantes sont des « voitures-salles ». (L'expression amuse Timothée qui prétend que ce sont les usagers qui doivent nettoyer...) Cette fois, l'inspection est encore plus facile : il suffit de regarder sous le nez les gens assis de part et d'autre de l'allée centrale.

Rien à signaler non plus dans ces voitures-là. Tout au plus ont-ils noté la présence d'un énorme chien terre-neuve placidement assoupi en travers d'un double siège. Il avait peut-être un chat dans la gorge, mais pour le faire entrer dans un panier, celui-là...

– Toujours pas de barbu à l'horizon. Je commence à en avoir assez, rechigne Timothée.

– Déjà ! soupire la fillette. Écoute : la prochaine étape est le wagon-restaurant. Allez, viens. Je te paye un Coca…

– D'accord. Marché conclu. Mais c'est bien pour te faire plaisir.

DE QUI SE MOQUE-T-ON ?

Mélanie et Timothée ne sont pas ce que l'on pourrait appeler de fins gourmets; n'empêche, ils savent quand même faire la différence entre une cantine self-service et un relais gastronomique. Le wagon-restaurant appartient de toute évidence à la première catégorie.

La plus grande surface de la voiture

est plantée de tables en formica scellées le long des fenêtres. Au fond, à droite, la porte battante d'un vestiaire laisse entrevoir tiroirs et placards. La partie « self » proprement dite se tient, elle, dans l'avancée du coin cuisine, classique enfilade d'étagères supportant le buffet froid, interrompue par un créneau de bacs en inox garnis de plats chauds. Une quinzaine de voyageurs au coude à coude font glisser leur plateau sur la rampe attenante. Les enfants reconnaissent Tapir grincheux, devenu Tapir glouton, entre un colonel d'infanterie couvert de décorations et les trois hommes en imperméable. Il n'y a que des adultes, mais vérification vite faite, rien parmi eux qui ressemble de près ou de loin à un barbu avec ou sans panier. Curieusement, le personnel de service paraît lui aussi briller par son absence. Personne dans le vestiaire ni dans la cuisine, et pas l'ombre d'un serveur... Au début, on s'en étonne, mais comme il n'y a personne non plus derrière la caisse, nul ne vient trop se plaindre de cette grève surprise. Certains profitent même de l'aubaine pour se servir des rations plus que généreuses de frites et de pâtes et des portions doubles, voire triples, de fromages et de desserts.

Les enfants, qui ont déjà déjeuné, s'approchent du casier à bouteilles.

– Il n'y a pas de Coca... ni de Pepsi, constate Timothée, un peu déçu. Il n'y a que du Schpitz... Schpitz orange, Schpitz menthe, Schpitz citron... Ils doivent avoir un contrat avec la Compagnie des trains.

La soif est la plus forte. Chacun choisit selon son goût : orange pour la fillette, citron pour le garçon. Ce dernier, au passage, s'empare d'une poignée de pailles coudées. Ils décapsulent leur bouteille – ça fait « schpitz ! », naturellement –, puis ils vont s'installer près d'une fenêtre. Pendant ce temps, les autres tables se remplissent.

Tout en sirotant son soda, Mélanie chuchote à l'oreille de son frère :

– Tu as vu qui est à la table voisine ?

Répondant à sa propre question, elle enchaîne :

– Les trois imperméables...

Timothée lève les yeux au ciel, mais il se rappelle qu'il a décidé de jouer le jeu. Sans en avoir l'air, ils tendent l'oreille pour écouter la conversation qui s'engage de l'autre côté de la travée.

Premier imperméable :

– Rien à faire : ce sacré zigoto s'est déguisé en courant d'air ! Nous l'avons pourtant vu monter dans ce train...

Deuxième imperméable :

– Moi, je parie que c'était cette espèce de barbu avec son panier.

Troisième imperméable :

– Mais oui. Dans le premier wagon... Il a dû changer de frusques dans les toilettes juste avant le départ !

– Tu vois, reprend Mélanie à voix basse. Ils cherchent bien notre bonhomme...

– Oui, oui. Je ne suis pas sourd.

– Bizarre, bizarre... médite la fillette.

– J'y suis ! s'emballe à mi-voix Timothée. Le bonhomme est un bandit en cavale, et ces trois-là sont des policiers lancés à ses trousses.

– Moui... C'est possible.

– Ou alors, encore mieux : c'est une histoire d'espions. Le barbu a volé les plans d'une arme secrète...

– Une arme secrète qui fait « Miaou » ?

– Elle fait aussi « Ouah ! Ouah » ! Non, ça, c'est un truc bidon pour tromper l'ennemi.

– Et ce serait nous, l'ennemi ?

Mélanie ne paraît guère convaincue. Son frère non plus, d'ailleurs. Ils se taisent, pensifs.

Le premier imperméable a attaqué sa cuisse de poulet.

– Mince ! Il est coriace, l'animal !

En effet, son couteau ne cesse de déraper.

– Ça m'énerve ! Ça m'énerve !

– Allons, Arthur, personne te regarde. Tu peux manger avec tes doigts ! Et puis, tiens, ça passera peut-être mieux avec ça…

Complaisant, le deuxième imperméable a saisi un pot de moutarde. Il l'ouvre… mais le regrette aussitôt, car, du pot ouvert, vient de surgir – Schtoiiing ! – un diable à ressort qui lui tire une langue grande comme ça !

Devant sa mine éberluée, ses deux compagnons éclatent de rire. Mélanie et Timothée ne sont pas en reste : ils en font des bulles dans leur Schpitz !

– Et vous trouvez ça drôle ! s'indigne la victime du pot de moutarde.

Pendant ce temps, Arthur, l'imperméable n°1, a porté à sa bouche la cuisse de poulet. Il mord dedans à belles dents.

– Ouille ! s'écrie-t-il soudain.

– Qu'est-ce qu'il t'arrive ? Il est trop chaud ?

Arthur ouvre une paire d'yeux exorbités et révèle :

– Vous n'allez pas me croire : ce poulet est en caoutchouc !

C'est au tour des deux autres d'éclater de rire.

– Et ça vous amuse ! s'insurge le dindon de la farce en se massant les mâchoires.

Les tablées alentour commencent à lorgner le trio. Elles ne sont pas déçues dans leur attente, car bientôt le troisième larron s'exclame, médusé :

– Nom d'un chien ! Ce pain...

– Eh bien, quoi... Il est rassis ?

– Ce... ce n'est pas du pain... C'est une éponge ! Euh... Drôlement bien imité !

Nouvel éclat de rire tournant à deux contre un. Les trois hommes sont devenus le point de mire des autres convives.

– ... Des joyeux lurons en goguette, murmure-t-on entre soi, et avec un air nettement réprobateur. À leur âge, quand même, se livrer à de telles plaisanteries...

Erreur sur toute la ligne car, deux tables plus loin, un monsieur très digne voit avec stupeur sa cuillère fondre dans son bol de potage ! Il n'a pas le temps de s'en étonner : son épouse, une grosse dame comprimée dans une robe à fleurs, pousse un cri d'épouvante qui glace l'assistance.

– Rhââââââ !

Et elle tombe à la renverse, évanouie, sur le dossier de sa chaise. Maîtrisant son émotion, le mari s'emploie à la ranimer en lui tapotant les mains et les joues. Dès que la dame a repris connaissance, elle file aux toilettes.

Intrigué, le monsieur digne examine le potage de son épouse. Il a tôt fait de découvrir le pot-aux-roses... Alors, il se lève avec lenteur, le visage blême, et,

prenant les autres à témoins, balbutie :

– Re... regardez... ce... ce que... j'ai... j'ai trouvé... dans... dans le... le potage de... de ma...

Horreur et stupéfaction : du bout de sa fourchette, il exhibe une énorme araignée velue dégoulinante de soupe !

– Une tarentule en gluon, ricane sous cape Timothée qui paraît assez amateur de ce genre d'article.

Un peu plus loin, Tapir glouton – Fnif ! – tente sa chance. Devant lui se dresse une montagne de spaghettis sauce tomate. D'un revers de fourchette, il enroule un spectaculaire tortillon de pâtes et l'enfourne dans son clapet. Il les a à peine mastiquées qu'il les rejette dans son assiette avec un grand râle de dégoût.

Chacun pose sur lui un regard inquisiteur. La réponse ne tarde pas.

– Des... des élastiques... Fnif ! nasille le tapir, hébété. Mes spaghettis sont des... Fnif !... des élastiques !

Et il confirme, preuve à l'appui, les doigts ruisselants de ketchup, en les étirant comme des extenseurs.

Son voisin de travée, le colonel bardé

de décorations, n'est guère mieux loti. Ayant vu sa fourchette et son couteau se tordre littéralement sur son steak, il n'hésite pas à déclarer celui-ci dur comme de la semelle. Dans la même seconde, il manque de s'étrangler en découvrant qu'il s'agit effectivement d'une semelle d'après-ski cuite à point ! Il ne peut même pas se rattraper sur la garniture : les frites sont collées entre elles dans un amalgame de mastic ; il suffit d'en piquer une pour faire venir tout le reste !

Les événements, dès lors, s'enchaînent en cascade. Tour à tour, chacun devient l'acteur involontaire puis le spectateur attentif, intrigué, amusé ou indigné, de ce festin délirant. Tout y passe : le saucisson en matière plastique, le pâté en pâte à modeler, les cornichons siffleurs, les saucisses dégonflantes, les haricots sauteurs, le camembert musical, les poires en plâtre, les bananes à fermeture éclair, le vin vinaigré, les carafes d'eau à double fond... Sans oublier les couverts : cuillères fondantes, fourchettes pliantes, couteaux à lame rétractable, verres baveurs, salières à col dévissé... Bref, le catalogue au grand complet d'un magasin de farces et attrapes rayon noces et banquets !

– Fnif ! J'ai faim ! brame lamentablement le tapir.

De fait, la situation est claire : il n'y a rien ici de mangeable, ni de buvable.

« Excepté le Schpitz », pense Mélanie.

De toutes parts, on en vient à se poser la question : « À quoi rime cette plaisanterie ? » Que l'on prolonge bientôt d'une interrogation plus pointue : « De qui se moque-t-on ? »

La réponse allant de soi, la colère monte. Le cri éclate, spontané :

– C'est un scandale !

Un mot d'ordre se répand :

– Tous à la cuisine !

– Qui sait si « quelqu'un » ne s'y cache pas pour profiter du spectacle...

Mais la cuisine est bien déserte.

– Pas étonnant qu'il n'y ait personne ! plastronne le colonel. Abandon de poste devant l'ennemi. Ils ont fui, les lâches !

– Encore heureux qu'on ne nous ait pas fait payer ! souligne une dame respectable que l'idée de déjeuner gratis n'aurait pas tellement perturbée.

Ignorant la confusion, Mélanie s'est éclipsée dans le vestiaire. Elle fouille et farfouille dans les tiroirs et les placards.

C'est ainsi qu'elle découvre, accroché sur des cintres, un rang de vestes blanches, et, sur une étagère, la toque du cuisinier et les calots des serveurs en carapate. Donc, ils étaient bien à bord du train. Où sont-ils passés ? Disparus, eux aussi ? Ça commence à faire beaucoup... La réponse, peut-être, au prochain wagon.

BILBULBLUB

Ventre vide, estomac gargouillant, les rescapés du wagon-restaurant ont regagné leur place. Mélanie et Timothée, eux, poursuivent leurs recherches. Ils en sont maintenant à la huitième voiture, une voiture de première classe. Un peu surpris, les enfants ne rencontrent d'abord qu'une suite de compartiments inoccupés. Autre sujet d'étonnement : sur toutes les vitres des fenêtres et des portes sont scotchées des affichettes colorées portant en lettres dansantes l'inscription suivante : « Le F.F.A. vous est offert par Schpitz ! »

– Schpitz, on connaît commente au passage Timothée, mais F.F.A...

Inoccupés, effectivement, les compartiments le sont tous, ou presque... Devant la porte ouverte du cinquième, à mi-couloir, se tient le contrôleur – le vrai –, la tête encore bourdonnante du concert de récriminations qu'il vient de subir et auquel il n'a pas compris grand-chose. S'il s'entête à réclamer les billets en pure perte, il a une bonne raison : il se dit qu'en passant systématiquement le convoi au peigne fin, wagon après wagon, il finira bien par coincer l'imposteur. Le même raisonnement, finalement, que se tiennent Mélanie et Timothée pour le barbu au panier.

Les deux enfants s'avancent.

À l'intérieur du compartiment est assis un homme rond et jovial qui fume un cigare long comme le bras. Sur la banquette, face à lui, est posée une grosse valise en cuir marron qui porte, attachée à la poignée, une étiquette de voyage marquée elle aussi des initiales F.F.A.

– Vous avez votre billet ? questionne pour la deux cent douzième fois le contrôleur.

Le visage lunaire s'éclaire d'un sourire. L'homme rond retire son cigare, souffle un champignon de fumée et répond en postillonnant ces deux mots étranges :

– Ixpschitschiipziiischt ! Kpschtzii- shipziischiiitz !

– Là n'est pas la question ! riposte l'homme à la casquette. Je vous demande simplement si vous avez votre billet.

– Ixpschitschiipziiischt ! s'entête le voyageur, plus hilare que jamais.

Le contrôleur tourne vers les enfants un visage accablé.

– Je ne comprends rien à ce que dit ce type !

– C'est peut-être un Tchécoslovaque... hasarde Timothée.

Le bonhomme gonfle ses bajoues et secoue la tête négativement.

– Non ! se reprend le garçon en s'accordant une seconde chance comme au jeu des devinettes. On dirait plutôt une bouteille d'eau gazeuse qu'on débouche à l'improviste !

Le rondouillard, cette fois, acquiesce d'un vigoureux hochement de menton.

– Tu ne crois pas si bien dire ! réalise soudain Mélanie. Vous ne l'avez pas reconnu ? Sa photo est parue dans tous les journaux... C'est monsieur Bilbul-blub !

– Bidule... Blub... Club ? patine le contrôleur.

– Mais oui : le directeur de l'usine d'eau minérale Schpitz qui se trouve à Villedeau-sur-Gloupe... Depuis des semaines, il ne parle qu'en « eau pétillante » !

– Drôle d'idée, s'étonne le contrôleur. Pourquoi diable fait-il ça ?

– Bien obligé, explique la fillette. Il veut figurer dans le *Livre des Records* à la rubrique des langages inventés. Évidemment, il n'a pas le droit de parler autrement pendant au moins six mois.

– Complètement siphonné ! rumine le contrôleur, nettement critique.

– Hé... Pas tant que ça, rétorque Mélanie. S'il réussit, ça fera une publicité folle pour Schpitz !

Venant à contresens, un homme grand, élégant, attaché-case en main, arrive à leur hauteur. La fillette remarque un pin's F.F.A. épinglé au revers de son blazer. Son frère le remarque aussi et se dit que ce pin's-là ne ferait pas mauvaise figure dans sa collection.

– Cette jeune fille a raison, déclare le nouveau venu.

— Qui êtes-vous ? s'informe le contrôleur.

— Je m'appelle Jean Gandin et je suis le secrétaire particulier de monsieur Bilbulblub. J'ajoute que monsieur Bilbulblub est aussi le député-maire de Villedeau-sur-Gloupe. Pour des raisons de convenance personnelle, mon patron a préféré louer tout le wagon.

— Alors, comme ça, vous venez de l'avant ? demande le préposé.

— Oui, répond Gandin d'un revers de pouce. J'ai ma place réservée dans la voiture suivante.

— Vous avez déjà eu le passage d'un contrôleur ?

— En effet. Et il nous a pris nos billets. Une vague histoire de vérification...

— Un contrôleur avec un gros nez rouge et d'épaisses moustaches ? décrit à grands gestes Timothée.

— Oui. Ça lui ressemble.

— Xpschitzschiptz ! Xpschitzschiptz !

— Et je crois que monsieur Bilbulblub l'a vu aussi, traduit Gandin qui doit parler couramment l'eau pétillante.

— Tant qu'on y est, vous n'auriez pas

vu aussi un barbu avec un grand manteau et un panier d'osier ?

Le secrétaire pousse un soupir de lassitude.

– Et puis qui encore ? Vous jouez à cache-cache, ou quoi ? Non, mon garçon. Je n'ai pas vu de barbu avec ou sans panier.

Mélanie se frotte le menton et marmonne :

– Voyons… Monsieur Bilbulblub est à la fois P.D.G. de Schpitz et député-maire de Villedeau-sur-Gloupe…

Subitement inspirée, elle claque dans ses doigts et enchaîne à voix haute :

– Est-ce que, par hasard, il ne serait pas aussi… Hé ! Attendez une minute…

Sourcils froncés, la fillette se met à réfléchir intensément sous le regard aux aguets des trois adultes.

– Attention, prévient Timothée, espiègle, quand ma sœur commence à se prendre la tête comme ça, il lui sort de la fumée par les oreilles ! Eh bien, quoi ? la presse-t-il soudain. Qu'as-tu découvert de si extraordinaire ?

– C'est que… Je ne suis pas tout à fait sûre…

– Ah ! non, ma vieille ! proteste le garçon. Tu en as trop dit ou pas assez !

Mélanie va pour s'exécuter – à contre-cœur – mais au moment précis où elle ouvre la bouche, on entend des éclats de voix au fond du couloir.

– Où est le contrôleur ?

– On veut voir le contrôleur !

– Ah ! Le voilà !

– Pas trop tôt !

Un groupe de cinq à six braillards gesticulants vient de jaillir en file indienne du soufflet de raccordement.

L'intéressé se retourne.

– D'où sortent-ils, ceux-là ?

– Nous venons des voitures-salles ! proclame le braillard d'avant.

Il ajoute, hors de lui :

– C'est une honte !

– Une honte ! répète en écho le chœur des mécontents.

– Pas possible… On les oblige vraiment à nettoyer ! jubile Timothée.

– Mais que se passe-t-il, à la fin ? s'impatiente le contrôleur.

S'efforçant au calme, le meneur de la bande fouille dans la poche de son pantalon. Il en sort, entre le pouce et l'in-

dex, quelque chose qui remue et pousse des petits cris.

– Vous voyez ce que c'est ?

– Ben oui, fait le contrôleur, attendri. Ça m'a tout l'air d'une souris. Où l'avez-vous trouvée ?

Le bonhomme se rengorge.

– Si vous raffolez de ces petites bêtes, ne vous gênez pas... Notre voiture en est pleine !

– Pleine de... de souris ? réagit le contrôleur, incrédule.

Le meneur, ironique :

– Oh... pas plus d'une centaine !

Les suiveurs, excédés :

– On vous raconte pas la pagaille !

– Des souris, maintenant, note Mélanie, soucieuse. La farce continue, on dirait...

Son frère, lui, s'amuse comme un petit fou. « On devrait prendre le train
plus souvent ! » songe-t-il, goguenard.

Le contrôleur s'éponge le front.

– Que voulez-vous que je fasse ? re-
nâcle-t-il. Je suis agent de contrôle, pas
chasseur de souris ! Bon... écoutez...
Je vais voir ce que je peux faire. En attendant, retournez dans votre voiture et
commencez la... la cueillette.

– S'ils doivent vraiment faire le mé-
nage, qu'on leur donne au moins un as-
pirateur à souris ! conseille Timothée,
pratique.

L'ABOMINABLE HOMME
DES TOILETTES

Précédés de Jean Gandin, Mélanie, Timothée et le contrôleur abordent la voiture suivante. C'est encore une voiture de première classe.

Coup d'œil en passant sur les toilettes.

– Tiens... C'est occupé.

– Vous croyez que...

– Attendons qu'« il » sorte. On ne sait jamais...

Le secrétaire ne se sent pas concerné. Il décroche du groupe pour rejoindre son compartiment.

L'attente commence devant la porte fermée. Elle se prolonge pendant de longues, très longues minutes. Les fouineurs associés ne tardent pas à perdre patience.

– Qu'est-ce qu'« il » peut bien fabriquer ?

D'autres longues minutes s'égrènent, se transforment en quart d'heure. Plus l'attente s'éternise, plus on imagine le mystérieux occupant sous les traits du barbu au panier ou du faux contrôleur.

L'employé pose l'oreille sur le battant et tape discrètement. Pas de réponse. Il frappe plus fort. Toujours rien. Pas le moindre signe de vie.

Le doute s'installe. Après tout, chacun a le droit d'occuper les toilettes autant qu'il veut. D'un autre côté, la personne à l'intérieur s'est peut-être trouvée mal...

Assez lanterné. Le contrôleur cogne le panneau à coups redoublés et questionne à tue-tête :

– Y a quelqu'un ?

C'est alors que, derrière la porte, une voix sonore et enjouée répond du tac au tac :

– Hé non, chef... Y a personne !

– Ma parole... Il se fiche de moi ! se récrie l'uniforme. Sortez de là tout de suite, vous m'entendez !

– Venez donc me chercher !

Cette fois, plus d'hésitation. Le contrôleur sort son passe et l'introduit dans la serrure. Un quart de tour à droite. Il ouvre...

Et là, c'est la surprise, la surprise du siècle, car il n'y a personne, vraiment personne. Comment quelqu'un pourrait-il se cacher dans un endroit sans cachettes ?

Timothée n'est jamais à cours d'explications.

– L'abominable homme des toilettes ! s'écrie-t-il. Il peut disparaître comme il veut, rien qu'en tirant la chasse !

– Et pourquoi pas l'homme invisible ? ironise Mélanie. D'ailleurs, regardez... Il nous a laissé un message.

En effet, sur la lunette rabattue des W.-C. repose un écriteau. Un écriteau avec une inscription en forme de pied de nez :

« Hein ? Qu'est-ce que je vous avait dit ? »

Les enfants éclatent de rire. Le contrôleur, lui, est loin de partager leur bonne humeur. On l'entend marmonner entre ses dents :

– Il y a quelque chose qui ne tourne pas rond dans ce train...

Se rappelant à ses devoirs, il lance avant de disparaître dans le soufflet :

– Bon. Moi, je retourne voir comment ils se débrouillent avec les souris. C'est davantage dans mes cordes !

LE DÉMON DES BANQUETTES

Il est 14 h 10. L'heure de la sieste.
Tout est silencieux, à part le ronron du
train. Derrière les fenêtres du couloir,
la campagne défile, inondée de soleil. Il
fait de plus en plus chaud. Dans les
compartiments, les voyageurs transpi-
rent à grosses gouttes.

– Fffjûûûû… J'suis crevé, souffle

Timothée. Si on s'arrêtait cinq minutes ?

Venant en sens inverse, paraît la voiturette du mini-bar.

– Demandez Schpitz ! Schpitz orange… Schpitz menthe… Schpitz citron !

– Flûte ! rouspète le garçon. Encore cette carriole !

– Libérons le passage, s'il vous plaît !

– Tu voulais t'arrêter, non ? relève Mélanie. Entrons là. Ce compartiment est presque vide.

Elle tire la porte coulissante. Dans le sens de la marche, la banquette entière est libre, accoudoirs relevés. Ils se laissent tomber dessus et s'amusent à rebondir sur les sièges rembourrés.

Face à eux, dans le coin couloir, se tient le monsieur digne du wagon-restaurant. Il a à peine levé les yeux de son magazine. Le voyageur du coin fenêtre est un petit homme à moustaches de rat qui nage dans un costume dix fois trop grand pour lui. Il a tiré le rideau et somnole paisiblement, la joue remontée contre l'appuie-tête. La place du milieu est inoccupée.

La portière s'ouvre. Entrée de la

grosse dame à la tarentule. Par-dessus son éventail, qu'elle agite frénétiquement, elle gratifie les intrus d'un regard noir. Nul doute que les enfants se sont installés sur « sa » banquette. Elle se résigne à s'asseoir près de son mari.

Se tournant vers lui, elle chuchote :

– Enfin, Émile, ce n'est pas normal. Les toilettes de l'avant et celles de l'arrière sont constamment occupées. Ça fait au moins deux heures que ça dure. J'ai été obligée d'aller dans la voiture d'après. C'est commode, je te jure !

Les enfants n'ont pas perdu un mot. Ainsi, les toilettes de l'avant sont bouclées aussi, comme celles de l'homme invisible... Il y aurait donc une autre chance pour que le barbu au panier...

Ils sont prêts à se lever, quand soudain, l'incroyable, l'inimaginable, se produit.

Venant manifestement de la banquette « adultes », une voix d'arrière-gorge, sourde, rauque, profonde, déchire le silence :

– Bon sang ! Qu'est-ce qu'elle peut être lourde, cette bonne femme !

Il y a quelques secondes de flottement

à la suite desquelles la grosse dame, qui, à tort ou à raison, se sent visée par cette impertinence, en perd son éventail.

Mélanie et Timothée se regardent, interdits. Le garçon éternue un rire bref. Plus question de sortir.

La grosse dame, elle, n'a pas digéré l'insulte. Frémissante d'indignation, elle pivote vers son voisin de droite, le petit monsieur somnolent, et lui mitraille à bout portant :

– Mufle ! Goujat ! Butor ! Comment osez-vous !

L'interpellé se réveille en sursaut.

– Hein ! Quoi... Qu'est-ce que c'est ?

Mais la grosse dame n'est pas de celles qu'on abuse si facilement.

– Inutile de faire semblant de dormir, espèce de malotru !

– Mais... Mais... Madame...

– J'ai tout entendu ! appuie l'époux offensé en se penchant. Votre conduite, monsieur, est inqualifiable !

C'est alors qu'une autre voix, semblable à la précédente et venant de la banquette opposée, celle de Mélanie et Timothée, se charge de réconcilier tout ce petit monde.

– Tu as raison, approuve-t-elle. Cette bonne femme est une véritable baleine !

– Et hargneuse comme pas une, avec ça, relance la première voix. Le maigrichon à poils ras n'est pas à la noce !

Le visage du petit monsieur vire au jaune safran.

– Les... les banquettes... Elles... elles parlent... bredouille-t-il.

Les trois voyageurs en restent pétrifiés. (Mélanie et Timothée qui ont déjà eu l'occasion d'entendre parler des cuvettes de W.-C. se montrent beaucoup moins impressionnés.)

Le ping-pong verbal continue de plus belle.

– Moi, je dois me farcir les deux mouflets qui font du rodéo. Tu parles d'un lot de consolation !

– En plus, qu'est-ce qu'ils peuvent sentir mauvais. Un vrai wagon à bestiaux !

– Ouais. Ça ne devrait pas être permis en première classe !

De fait, une odeur épouvantable a envahi le compartiment. Le petit monsieur se dresse d'un bond pour ouvrir la fenêtre.

– Rien à faire, hoquète-t-il. Elle est bloquée.

Le malaise est à son comble. Soutenue par son mari qui vacille sous la charge, la grosse dame se lève à son tour et agite les mains vers la sortie. Après le gag de la tarentule dans le potage, voici maintenant le coup de la banquette infernale... Beaucoup pour un seul voyage, assez pour justifier une magnifique crise de nerfs. Elle trépigne et se met à hurler :

– Ahhhiiiiiiiiii !

– ... Et hystérique, par-dessus le marché !

Les banquettes se gondolent de rire.
Et le pire, c'est qu'elles se gondolent
vraiment... Les dossiers s'enflent et se
dégonflent comme des poitrines qui
respirent. Une vision de cauchemar !

Débandade générale, saluée comme il
convient par les voix gouailleuses :

– Ça y est. Ils se décident quand
même à ficher le camp !

– Pas trop tôt, hein ?

– Ah, ouais ! Bon débarras !

– Hé, là ! Doucement ! Les baleines
et les enfants d'abord !

– Ha ! Ha ! Ha !

Les voyageurs n'en ont que trop entendu. Abandonnant armes et bagages,
ils vident les lieux sans regret, et le dernier sorti claque la portière sur lui.

BARBE-EN-ZINC

Le plus étrange de l'affaire, c'est qu'une scène à peu près identique s'est reproduite dans tous les comparti- ments. Les mêmes causes entraînant les mêmes effets, l'étroit couloir ressemble bientôt à une rame de métro à l'heure de pointe. Vu leur taille, Mélanie et Timothée sont bousculés, ballottés…

Un vent de panique souffle sur le wagon. Des exclamations fusent :

– Ce train est ensorcelé !

– Il faut l'arrêter !

– Facile à dire. Le système d'alarme ne fonctionne pas !

Un képi et une manche galonnée émergent de la cohue. C'est le colonel bardé de décorations du wagon-restaurant.

– Pas d'affolement, recommande-t-il. Du sang-froid. Avant tout, du sang-froid !

– Du sang-froid ? rebondit la grosse dame. Vous en avez de bonnes !

– Il doit pourtant y avoir une explication logique ! tente de se persuader le militaire.

– C'était atroce, chevrote une vieille dame. Les banquettes parlaient, riaient... On aurait dit qu'il y avait quelqu'un à l'intérieur !

– Balivernes ! tranche le colonel. Même un enfant en bas âge ne pourrait pas tenir là-dedans. En admettant qu'il puisse respirer !

– Des haut-parleurs cachés, alors...

– Hum ! Possible. Mais dans quel but ? Et puis, des haut-parleurs, ça ne voit pas, ça ne pense pas. Or ces insolences étaient nettement personnalisées...

Un monsieur d'allure sévère choisit ce moment pour intervenir :

– En tant que spécialiste des sciences occultes, je puis vous dire que vous faites fausse route. On voit bien que vous n'avez jamais entendu parler du Démon des banquettes...

L'homme n'a pas l'air d'un hurluberlu. Il s'est exprimé calmement, avec une autorité tranquille. Chacun reste suspendu à ses lèvres.

Mélanie, elle, se méfie comme de la peste des messieurs Je-sais-tout. En plus, le type lui rappelle un de ses profs qu'elle aime le moins.

– On dirait Barbe-en-zinc, souffle-t-elle à Timothée.

– Le Démon des banquettes est une vieille histoire, continue le bonhomme. Un secret jalousement gardé par la Compagnie des trains. Démultipliant sa voix à volonté, il se déchaînait jadis dans un wagon de première classe. Je croyais ce wagon définitivement retiré du trafic.

Le Démon des banquettes… L'expression fait mouche. On se la répète craintivement.

Arrivant comme un chien dans un jeu de quilles, le contrôleur se présente à l'entrée du wagon. Il a l'air sidéré par le spectacle.

– Et ici, demande-t-il, quel est le programme ? Un envol de chauves-souris ? Un lâcher de serpents à sonnettes ?

– Vous n'y êtes pas ! s'effarouche la vieille dame. Des fantômes… Ce wagon est bourré de fantômes !

– Plus exactement, ce sont les banquettes qui parlent ! corrige le militaire.

Le contrôleur essaie de masquer son trouble. Il ne se rappelle que trop l'épisode des W.-C.

– Des banquettes qui parlent ? Eh bien, voilà autre chose…

– « Tout est possible avec le train ! » déclame avec aigreur un voyageur qui connaît ses classiques.

Les nerfs lâchent : il y a des ricanements.

– Je vous en prie, je vous en prie… implore le préposé.

Mais Barbe-en-zinc est là, rabâchant son idée fixe :

– Je vous l'ai dit : c'est le Démon des banquettes… Le retour du maléfique wagon hanté !

– Un wagon hanté ? Jamais entendu parler.

Le contrôleur aurait mieux fait de se taire.

– Menteur !

– Hypocrite !

– Oui… Oui… Tous complices ! mugit la foule.

Mélanie, quant à elle, ne cesse de dévisager Barbe-en-zinc. Où l'a-t-elle déjà vu ? Non, ça ne peut pas être le barbu au panier. Dans son souvenir, celui-ci était plus petit. Et ce n'est pas non plus le faux contrôleur. Trop grand, celui-là. La fillette se creuse la tête.

– Les responsables pourraient au moins avoir la courtoisie de prévenir les usagers ! proteste le monsieur qui connaît ses classiques.

– C'est vrai ! abonde la vieille dame. Il devrait y avoir une réduction de tarif pour les wagons hantés !

Le contrôleur élève les mains dans un geste d'apaisement.

– D'accord... D'accord... admet-il. Le wagon est hanté et les banquettes discutent le coup. C'est bien ça ?

– On se tue à vous le dire !

– Vous êtes sûrs de ne pas avoir confondu ces voix avec celles du haut-parleur ? Il peut y avoir eu des interférences avec un walkman ou une radio...

– Certainement pas ! témoigne la grosse dame, catégorique. « Ma » voix venait nettement du dossier. Une voix d'outre-tombe. Je sens encore ce souffle rauque sur ma nuque !

– Moi, je veux bien, compatit le fonctionnaire. Seulement, le règlement est formel : vous ne pouvez pas rester ici.

– Je ne retournerai là-dedans pour

rien au monde ! s'égosille la grosse dame.

Et le murmure d'approbation qu'elle soulève résume assez bien la détermination générale.

Mélanie, pendant ce temps, continue d'examiner Barbe-en-zinc. Et subitement, c'est le déclic : le bonhomme n'est autre que le cuisinier entrevu sur le quai de départ. (À bien y regarder, d'ailleurs, il porte encore sur le front la marque de la bordure élastique de la toque.) Que fait-il ici, maintenant, en costume « civil », bassinant l'assistance avec des histoires à dormir debout ?

« Il a dû se changer, tout à l'heure, dans le vestiaire, en même temps que les serveurs... » imagine la fillette. « Mais pourquoi ce changement à vue ? Que signifie tout ce cirque ? »

Sur ces entrefaites, Jean Gandin signale sa présence à l'autre extrémité du wagon. Jouant des coudes – « Pardon ! Pardon ! » –, il se fraye un chemin jusqu'au contrôleur et prend à son tour la parole.

– Allons... Allons... Du calme, messieurs dames ! Il se trouve que la voiture précédente est quasiment inoccupée. Mon patron, monsieur Bilbulblub, député-maire de Villedeau-sur-Gloupe, se fera une joie, j'en suis sûr, de vous accorder l'hospitalité jusqu'à la fin du voyage. Il sera toujours temps, à l'arrivée, de récupérer vos bagages.

Cette proposition inespérée n'est pas plus tôt formulée qu'elle produit un effet magique : le calme revient. On se confond en remerciements et on reflue en bon ordre vers le wagon providentiel.

La grosse dame ouvre la marche. Une fois le soufflet franchi, elle décide d'accomplir un nouvel arrêt-toilettes, histoire, prétend-elle, de se refaire une beauté.

À la seconde même où elle pousse la porte, le train s'engouffre dans un tunnel. Les veilleuses s'allument. Et puis, brusquement, simultanément, on reçoit en pleine figure l'onde de choc et la gerbe d'éclairs d'un rapide lancé à pleine vitesse en sens contraire. Le vacarme qui s'ensuit est déjà conséquent, mais il est bientôt couvert par un nouveau hurlement, assez aigu pour vous faire dresser les cheveux sur la tête :

– Ahhhiiiiiiiiiiiiiiii !

C'est encore la grosse dame. Depuis quelque temps, le hennissement semble être devenu chez elle une seconde nature. Hagarde, la chevelure électrisée, elle s'éjecte de la cabine en catastrophe et s'adosse, haletante, contre le battant précipitamment refermé.

– Au... au secours... suffoque-t-elle. Quelqu'un s'est... s'est pendu dans les toilettes !

Dépassé par les événements, le contrôleur roule une paire d'yeux horrifiés.

– C'est la première fois que je prends mon service dans un train qui déraille de l'intérieur ! lâche-t-il dans un interminable soupir.

LES BOUTE-EN-TRAIN

Le cri n'a pas manqué d'attirer du monde. D'abord monsieur Bilbulblub, venu aux nouvelles, puis les trois imperméables toujours en quête de l'introuvable barbu au panier.

La grosse dame lève un index frémissant.

– C'est... c'est là-dedans... indique-t-elle.

Le contrôleur a pris l'initiative des opérations. Il puise une large bouffée d'air et ouvre la porte fatidique.

– Nom d'un chien ! s'écrie-t-il en découvrant le théâtre du drame.

– Bon sang ! s'exclame en écho Arthur, le premier imperméable. Le… le barbu… Il n'a rien trouvé de mieux que de se pendre !

– Xpschilzpschiitz !

Bilbulblub en crache son cigare dans la cuvette des W.-C. (ça fait aussi schpitz !).

À ce moment, le train sort du tunnel. Le jour revient. La situation s'éclaire.

– Mais non ! Regardez mieux, conseille Mélanie. C'est seulement un mannequin déguisé !

On respire.

La fillette passe en revue les vêtements du mannequin. Manteau, écharpe, chapeau, lunettes, fausse barbe… Rien ne manque. De son côté, Timothée cherche le panier d'un œil furtif. Sans succès.

– Je ne sais pas qui, ni pourquoi, mais il y a quelqu'un qui s'amuse dans ce train ! grince le contrôleur.

Il rabat le couvercle des W.-C. et

monte dessus pour décrocher le « cadavre ». Il redescend en le soutenant par la taille. On se contorsionne pour le laisser sortir.

Mélanie incline la tête. Elle a remarqué l'angle corné d'une lettre qui dépasse d'une poche du manteau. Le bras alourdi par son fardeau, le contrôleur passe près d'elle à la frôler. Piquée par la curiosité, la fillette en profite pour s'emparer de la lettre. Ni vu ni connu... Un vrai pickpocket professionnel ! Elle a juste le temps de voir qu'il s'agit d'une vieille enveloppe décachetée avant de la glisser en catimini sous son tee-shirt.

L'incident est clos. Les voyageurs se répartissent dans les compartiments sous la houlette de Jean Gandin.

Ne restent bientôt sur place que sept personnages. Les plus bruyants sont Bilbulblub et le contrôleur qui s'enlisent dans un dialogue de sourds. Les trois imperméables, eux, se concertent dans une messe basse, tandis qu'à proximité, Mélanie et Timothée laissent traîner une oreille.

Imperméable n°1 :

– Résultat des courses : notre bonhomme s'est encore fait la valise !

Imperméable n°2 :

– Et son panier avec !

Imperméable n°3 :

– En somme, nous recherchons maintenant un barbu sans barbe, en slip et maillot de corps !

Bilbulblub a négligemment sorti un étui à cigares de sa poche intérieure. Il en extrait un havane de taille respectable et le cale entre ses dents. Il va pour ranger l'étui, quand il s'avise qu'Arthur, le premier imperméable, louche dessus avec envie. Aimable, l'homme rond lui tend son porte-cigares ouvert. Arthur murmure un merci plein de reconnaissance et prélève à son tour un havane. Les autres imperméables et le contrôleur déclinent la même offre.

Les deux fumeurs craquent une allumette – Pouf ! Pouf ! – et rejettent avec délectation une première volute de fumée. Le moment est venu de se séparer. Bilbulblub retourne à son compartiment tandis qu'Arthur, les yeux mi-clos, savoure son cigare en compagnie de ses acolytes. Mélanie et Timothée, eux, brûlent de percer le mystère du wagon hanté. Ils sont déjà bien engagés dans le soufflet, lorsque soudain…

« Bang ! »

Une détonation retentit derrière eux.

– Un coup de feu ! s'alarme le contrôleur, résigné au pire.

Mais la tension retombe presque aussitôt. On entend des éclats de rire. Encore les trois imperméables… Les deux premiers se tiennent les côtes en regardant leur collègue. Arthur présente un visage complètement noirci, comme celui d'un ramoneur en fin de tournée. Toujours planté dans son bec, le cigare en charpie lui a explosé au nez ! Hors de lui, il profère une bordée de jurons et fulmine :

– Je vais faire la peau à ce gros type !

Les deux autres tentent de le retenir, mais en vain. Naseaux écumants, Arthur déferle à travers le couloir comme une charge de bisons. Rien ne semble devoir entraver sa cavalcade vengeresse, à part peut-être...

– Demandez Schpitz ! Schpitz orange... Schpitz menthe... Schpitz citron...

Le chariot du mini-bar qui, précisément, s'encadre dans le passage.

Il vient juste de dépasser le compartiment du député-maire. Bilbulblub l'a échappé belle !

L'amateur de cigares pousse un rugissement :

– Comment se débrouille-t-il, celui-là, pour être toujours dans nos pattes !

On se calme. Arthur n'a pas d'autre solution que de reculer et d'aller se rafraîchir dans les toilettes du « pendu ». Mouchoir en main, il se penche au-dessus du lavabo. Il tourne le robinet et...

« Pschlaoufffff ! »

Jaillissant du siphon, un geyser d'eau d'une puissance exceptionnelle lui saute à la figure et l'éclabousse tout entier !

Il sort en s'ébrouant et en vociférant :
– Qu'est-ce que c'est que ce train de dingues !

Riant encore des malheurs d'Arthur, les enfants pénètrent dans le wagon hanté désormais complètement vide, suivis du contrôleur.

Mélanie dégage hardiment la première portière. Timothée, resté en retrait, se dandine d'un pied sur l'autre.

– Après tout, dit-il, puisque tout le monde va aux toilettes... Moi aussi. Y a pas de raison !

Il s'escamote vers l'avant tandis que sa sœur entre dans le compartiment.

– Ouh ! Quelle puanteur ! grimace le contrôleur en se pinçant le nez.

– Ça sent la rose à côté de tout à l'heure ! se souvient Mélanie. Je me demande si...

Elle n'achève pas sa phrase, mais s'agenouille avant de s'aplatir par terre. À l'aveuglette, elle ratisse large sous la première banquette, puis sous la seconde. (Les banquettes, elles, restent silencieuses comme si elles la regardaient faire.) Quand elle se relève, elle tient dans la paume de sa main une petite fiole de plexiglas brisée.

– Une boule puante, précise-t-elle. Nos fantômes sont de sacrés rigolos !

– Moi, les fantômes, je n'y ai jamais cru, assure le contrôleur en s'asseyant machinalement.

Mais à peine son derrière a-t-il effleuré le velours du siège qu'on entend :

– Ma parole... C'est notre ami le contrôleur. Je me demande s'il a son billet !

À ces mots, l'intéressé se redresse d'un bond comme s'il s'était assis sur une plaque chauffante.

Mélanie aussi a sursauté, mais elle s'est reprise très vite. Mains sur les hanches, elle lance, fixant le vide :

– Arrête de faire le clown, Timothée. J'ai reconnu ta voix !

– Ha ! Ha ! Ha ! Bien vu, ma vieille !

– Où es-tu ?

– Ben… Dans la banquette, qu'est-ce que tu crois ? Le Démon des banquettes, c'est bibi !

– Ça suffit, Timo. J'ai repéré les caméras, au-dessus des sièges, dans les veilleuses…

– Je suis à l'avant, dans les toilettes. Tu devrais voir ça. On se croirait chez un savant fou !

Le contrôleur et la fillette ne sont pas longs à rejoindre Timothée. Celui-ci les attend devant la porte entrouverte des W.-C.

– Comment as-tu fait pour entrer ? l'entreprend aussitôt Mélanie. Si je me rappelle bien ce qu'a dit la grosse dame, ces toilettes-là aussi étaient bouclées…

Le garçon affiche un sourire contraint. Il baisse la tête et piétine le sol de ses baskets. Pour finir, il se décide à rendre au contrôleur l'objet qu'il cachait derrière son dos.

– Je… Euh… Vous aviez oublié votre passe, tout à l'heure, dans la serrure. Je me suis dit que ça pourrait toujours servir…

L'employé pose un regard mi-figue mi-raisin sur le coupable.

– Apparemment, tu ne t'étais pas trompé, bougonne-t-il en empochant l'instrument. À présent, voyons un peu ce qui se goupille là-derrière…

Il écarte le battant et s'exclame :

– Ça par exemple !

Sa surprise est parfaitement justifiée : l'intérieur de la cabine ne ressemble pas du tout à des toilettes normales.

– C'est bien ce que je pensais ! triomphe Mélanie. Une mini-régie de télévision !

– Avec tabourets, et tout le confort, s'il vous plaît !

En effet, la cloison principale est incrustée de petits écrans qui retransmettent en direct des images des neuf compartiments, du couloir et des toilettes arrière. Sur le devant, une console en plan oblique aligne des séries de curseurs, de manettes et de boutons-poussoirs. Deux gros boîtiers de télécommande traînent sur les côtés. Il y a aussi une paire d'écouteurs voisinant avec un couple de micros encore branchés.

Timothée a saisi un des boîtiers. Il désigne les indications soulignant les touches.

Le contrôleur déchiffre en bourdonnant :

– Vidéo compartiments... Vidéo toilettes... Sono toilettes... Haut-parleurs banquettes... Soufflerie banquettes... Distributeur automatique boules puantes... Évacuation odeurs... Ventilation... Mouais, conclut-il en hochant le menton, je crois que ça se passe de commentaires...

TOUT S'EXPLIQUE
(OU PRESQUE...)

Mélanie, Timothée et le contrôleur ne se sont plus quittés. Les voici parvenus au bout du dernier wagon avant la motrice.

– On ne peut pas aller plus loin, constate Timothée. Nous avons fouillé tout ce fichu train, et aucune trace du bonhomme au panier.

– Ni du faux contrôleur, radote le vrai.

– Il y en a d'autres qui manquent à l'appel, fait observer Mélanie. À votre avis, où sont passés les serveurs du wagon-restaurant ?

– C'est pourtant vrai. On ne les a vus nulle part...

Le garçon récapitule :

– Voyons... Il n'y a eu aucun arrêt et le train n'a jamais ralenti. Je vois mal tout ce monde-là sauter en marche. Et puis, dans un train, pas de cave, pas de grenier pour se cacher. Pas de passage secret pour filer en douce...

Le contrôleur consulte sa montre.

– Nous arrivons dans vingt-cinq minutes. Cela nous laisse peu de temps pour résoudre ces mystères.

– Dans ce cas, décide Mélanie, il n'y a pas une minute à perdre !

Elle ajoute, sourire aux lèvres :

– Heureusement que je regarde parfois les infos Inter-Régions...

Ils rebroussent chemin en toute hâte.

Passage obligé par le wagon hanté.

– Tiens, dit la fillette en s'immobilisant devant le compartiment central. Regardez qui est là.

– Monsieur Bilbulblub et son secrétaire. Et alors ?

– Entrez donc et asseyez-vous, les invite Jean Gandin. Comme vous le voyez, nous nous sommes repliés dans cette voiture.

– On dirait que les mauvaises odeurs se sont dissipées, observe le contrôleur.

– Et que les banquettes piquent un roupillon ! papillonne Timothée.

– Rien d'étonnant, insinue Mélanie, fine mouche. Ce n'est certainement pas à ces messieurs que le Démon des banquettes irait faire des misères. Il préfère sans doute réserver ses manigances pour les voyageurs ordinaires...

Jean Gandin esquisse un petit sourire.

– D'ailleurs, poursuit Mélanie, vous pouvez me croire : si monsieur Bilbulblub avait loué toute la voiture précédente, c'était justement en prévision de la panique de tout à l'heure. Il fallait bien reloger d'une façon ou d'une autre les rescapés du wagon hanté !

Gandin, tout sourire cette fois, fait le geste d'applaudir.

– Ma parole... Cette jeune fille n'a pas les yeux dans sa poche !

– Han, han, minaude la fillette. Je crois avoir tout deviné depuis un bon moment...

Timothée et le contrôleur suivent la conversation, un peu abasourdis. De son côté, Bilbulblub – Xpschiichtz ! – est franchement admiratif.

– Puisqu'il en est ainsi (le secrétaire s'incline bien bas), merci de ne pas avoir vendu la mèche. Et bienvenue dans le F.F.A. Express !

– Autrement dit, traduit au vol Mélanie, l'express des farces et attrapes dont le premier festival s'ouvre ce soir à Villedeau-sur-Gloupe.

– C'est ça ! réagit à retardement Timothée. F.F.A. signifie Festival des Farces et Attrapes !

– Exactement, confirme Jean Gandin. Et voici monsieur Bilbulblub, président-directeur général des usines Schpitz, accessoirement député-maire de Villedeau-sur-Gloupe, mais aussi et surtout organisateur et commanditaire du festival.

– Quelque chose comme farceur-en-chef, quoi ! s'esclaffe le garçon.

– Si je comprends bien, intervient le contrôleur, ce voyage plutôt mouvementé n'avait pas d'autre but que de mettre les futurs visiteurs dans l'ambiance ?

– Oui. Mais pas seulement, reprend le secrétaire. Après tout, personne ou presque n'était au courant. Le festival n'en est qu'à sa première édition et son annonce n'a eu droit qu'à une faible couverture médiatique. À peine un flash télé sur Inter-Régions... Aussi en avons-nous profité pour miser sur l'effet de surprise.

Gandin ouvre une canette de Schpitz menthe. Il en avale une gorgée avant de poursuivre :

– L'idée du projet nous est venue d'une réflexion banale : que peut-on faire dans un train pendant quatre heures d'horloge à part s'ennuyer à mourir ? La réponse nous est venue tout aussi naturellement : un festival comme le nôtre ne constituait-il pas le prétexte idéal pour sortir de la routine d'un voyage sans histoires ? N'était-ce pas l'occasion rêvée de mettre un peu de fantaisie, d'introduire un zeste d'imprévu...

– Sur ce point, vous pouvez être satisfaits, coupe le contrôleur. Vous avez réussi au-delà de vos espérances !

– À cette fin, continue Gandin, tout le personnel roulant – cuisinier, commis, serveurs – a été remplacé par des comédiens et des comparses. Leur programme était minuté au chronomètre : une fois mitonnée la farce du wagon-restaurant, ils se sont dépêchés de revêtir des costumes de tous les jours avant de se mêler aux voyageurs. D'autres missions les attendaient...

– Ouais... Comme le lâcher des souris ou le Démon des banquettes !

– Quant à cela, j'avoue que nous

n'avons pas lésiné sur les moyens. Un wagon entier truffé de caméras et de haut-
parleurs invisibles. Une vraie prouesse
technique ! Bien entendu, nous avons
l'accord de la Compagnie.

– En ce qui me concerne, personne
ne m'avait prévenu ! relève le contrôleur, un peu vexé.

– Non. Et pour une raison bien simple : il nous fallait un témoin officiel totalement ignorant de nos agissements, susceptible de partager l'émoi des usagers et de les prendre en charge. La crédibilité de l'opération était à ce prix !

– Vous avez poussé la plaisanterie un peu loin, dites donc. Certains d'entre eux ont été drôlement chahutés !

Gandin saisit la balle au bond.

– Vous avez prononcé le mot : « drôlement ». Soyons justes : ils se sont bien amusés, chacun à leur tour. Pensez aussi au formidable souvenir qu'ils garderont de ce voyage ! Ils seront du reste amplement dédommagés de leur participation involontaire. Sachez que tous, ce soir, seront nos invités à un cocktail monstre dans le plus grand restaurant de Villedeau-sur-Gloupe !

Sourcils froncés, le contrôleur lève un index accusateur. Devançant l'inévitable question, Jean Gandin a ouvert son attaché-case et en a sorti une casquette réglementaire ainsi qu'un faux nez à moustaches. Il se coiffe de la casquette et applique le postiche sur son visage. Il retire ensuite sa veste. Retournant les manches d'un geste précis, il a tôt fait de la métamorphoser en veston d'uniforme. Qu'il réenfile. Ainsi transformé, il récite avec une voix de circonstance :

– Bonjour messieurs dames. Billets, s'il vous plaît !

– Et naturellement, les billets sont là-dedans, affirme Timothée en montrant la sacoche de cuir élimé qui repose dans la mallette.

Le contrôleur tombe des nues.

– Mais pourquoi avoir pris la peine de ramasser tous ces billets ?

– Pourquoi ? Mais pour la tombola, parbleu ! répond le secrétaire, comme si la chose allait de soi. Je vais d'ailleurs procéder sur-le-champ au tirage au sort.

Il extrait la sacoche, en soulève le rabat et plonge la main à l'intérieur. Il touille les billets d'un air inspiré et en sort deux au hasard.

– Les gagnants sont le 14 et le 16...

voiture 10 ! annonce-t-il avec un clin d'œil complice.

Mélanie n'est pas dupe de ce nouveau tour : Gandin a légèrement aidé la chance.

– C'est le numéro de nos places ! s'enflamme Timothée. Qu'est-ce qu'on gagne ?

Le secrétaire, pénétré, énumère sur ses doigts :

– Une entrée gratuite permanente pour toute la durée du festival, le diplôme d'honneur de la Confrérie universelle des employés du gag, sans oublier, pour chacun des lauréats, l'attirail complet du parfait petit farceur pour rire en société. Une récompense bien méritée !

Timothée est aux anges. Mélanie sourit. Le contrôleur ronge son frein. Bilbulblub, lui, laisse un peu imprudemment éclater sa joie.

– Ah ! Oui ! Bravo ! s'écrie-t-il.

Alors, réalisant en une fraction de seconde qu'il vient de commettre l'irréparable en trahissant par mégarde le serment de l'eau pétillante, le gros homme tente de rattraper sa bévue en plaquant ses deux mains potelées sur ses lèvres. Adieu le *Livre des Records...*

L'irréparable. Vraiment ?

Il y a un silence consterné, bientôt rompu par Timothée qui demande avec une feinte ingénuité :

– Moi, je n'ai rien entendu. Et vous ?

– Moi non plus, cela va de soi, souscrit Jean Gandin.

– Hum ! Ni moi non plus, se rallie le

contrôleur après un rude débat intérieur.

Le garçon se tourne vers sa sœur qui,
bizarrement, paraît être ailleurs.

– Hein ? Non, non… Moi non plus,
lâche-t-elle distraitement.

Elle sort de sa rêverie et dit :

– Je crois qu'il est temps d'aller récupérer nos bagages.

TOUT LE MONDE DESCEND !

Pour les enfants, c'est le grand retour
à la case départ. Timothée, qui a pris de
l'avance, attend sa sœur dans le dernier
soufflet.

– Oh ! Mélanie ! Tu traînes... Qu'est-
ce que tu as ?

– Quoi... Qu'est-ce que j'ai ?

– Tu n'as pas desserré les dents depuis tout à l'heure... Dépêche-toi, ma vieille. On arrive !

– Minute... Je réfléchis.

– À quoi ?

– À qui... Le bonhomme au panier.

– Ah, non ! Tu ne vas pas recommencer ! Ce type faisait partie de la bande à Bilbulblub, comme Barbe-en-zinc et les autres guignols. Lui, il nous a fait le coup du ventriloque. « Miaou ! Ouah ! Ouah ! » Et on s'est laissé avoir.

– Hé... Pas mal imaginé...

– Merci, mademoiselle Trousseau !

– Mais que fais-tu des trois imperméables ?

– Ben, eux aussi... Le numéro des frères Panouillard. Pour amuser la galerie !

– Tttt... Tttt... Ça ne colle pas.

Timothée ne convaincra pas sa sœur. Ils sortent du soufflet et retrouvent la voiture 10 après trois heures d'absence. Leur compartiment est en vue. Ils vont l'atteindre, quand...

– Dégageons le passage, s'il vous plaît !

– Zut et rezut ! peste Timothée. Le mini-bar... Il y avait longtemps !

– Il tombe à pic ! se réjouit Mélanie. Je boirais bien quelque chose.

– Tu es folle ! On n'a plus le temps. Le train arrive dans cinq minutes !

En effet, le convoi commence à ralentir.

Essoufflés, dépités et bredouilles, les trois imperméables surgissent en trombe dans le couloir. Ils en sont au moins à leur dixième aller et retour.

– Vous cherchez toujours le docteur ? leur demande Mélanie.

– Euh... Hum... Oui ! répondent-ils, un peu épatés.

Au grand étonnement de Timothée, la fillette leur confie, très sainte nitouche :

– Je viens de voir un homme en petite tenue, avec un panier, sauter sur le remblai et filer dans le sous-bois.

– Bon sang ! claironne le nommé Arthur. Cette fois, il ne nous échappera pas. Amenez-vous, les gars !

Pas question de reculer si près du but. Ils refoulent sans ménagement le minibar et les enfants au fond du wagon, débloquent en un tournemain le mécanisme de la portière d'accès... et descendent du train aussi vite qu'ils y étaient montés !

Une fois qu'ils ont disparu, Mélanie regarde le serveur par en-dessous et passe sa commande.

– Un Schpitz citron et un Schpitz orange avec des pailles, s'il vous plaît... docteur.

Le bonhomme sursaute.

– Comment... Vous m'avez reconnu ?

La fillette sort la vieille enveloppe froissée qu'elle avait dissimulée sous son tee-shirt.

– Quand on veut disparaître de la circulation, il vaut mieux éviter de semer des indices derrière soi, finasse-t-elle. Cette lettre se trouvait dans la poche de votre premier déguisement. (Elle montre le nom sur l'enveloppe.) Vous êtes le professeur Cabot-Minet, le célèbre vétérinaire. Pourquoi vous cachez-vous ? Qui sont ces hommes ?

– Des journalistes, soupire le fugitif. Depuis qu'ils ont entendu parler de mon invention, ils me surveillent jour et nuit. Le problème, c'est que je ne dois la rendre publique que jeudi prochain, à Rome, au Congrès international de

biologie animale... En attendant, impossible de faire un pas hors de chez moi sans être harcelé par ces pots de colle ! Ce matin, enfin, j'ai réussi à tromper leur vigilance. Du moins, c'est ce que je croyais. J'ai entassé de vieilles frusques – avec, à toutes fins utiles, une barbe postiche, souvenir de mes années d'internat – dans une valise, j'ai bondi dans un taxi et je suis arrivé à la gare en catastrophe. Sur place, j'ai acheté un billet pour le premier train au départ...

– Vous voulez dire que vous avez pris ce train par hasard ?

– Oh, totalement ! Ce que j'ignorais, c'était que je mettais les pieds dans le foldingue express !

Timothée, narquois :

– Ça, tout le monde l'ignorait !

– Plus tard, dans le compartiment, quand je me suis senti repéré, j'ai préféré filer à l'anglaise.

– C'est ça, reconstitue la fillette. Et puis, vous avez eu l'idée d'échanger votre déguisement de barbu contre celui-ci.

– Cela n'a soulevé aucune difficulté : le serveur du mini-bar a tout de suite été d'accord.

– Je m'en doute ! Seulement, vous ne pouviez pas savoir que vous changiez de vêtements avec quelqu'un qui, lui aussi, était déjà déguisé.

– Un farceur patenté, celui-là ! Au début, j'ai bien failli me faire écharper. Essayez un peu de vendre des barres de chocolat au poivre, des hot-dogs au dentifrice et du café gros sel à une bande d'affamés, vous m'en direz des nouvelles ! C'est bien simple : il n'y avait que le Schpitz qui était buvable.

– Et ce quelqu'un n'a rien trouvé de plus malin, en se changeant à son tour, que d'habiller son mannequin favori avec vos vêtements et d'aller le pendre dans les toilettes du wagon Bilbulblub. Trop heureux d'improviser une farce non prévue au programme !

– Je parie que l'animal est là-dedans, frétille Timothée en montrant la voiturette.

– Évidemment ! ricoche Mélanie. En réfléchissant bien, c'était la seule cachette possible.

– Le pauvre doit commencer à étouffer, s'inquiète Cabot-Minet.

Il s'accroupit pour ouvrir le plus grand tiroir au-dessus des roues et en retire délicatement le précieux panier.

Le train, à ce moment, rencontre son quai d'arrivée. Les voyageurs, bagages en mains, sortent des compartiments. Tapir grincheux – Fnif ! Fnif ! – occupe la pole position.

Les enfants aident le professeur à garer le chariot derrière le placard d'éclairage à la limite extrême du wagon. Ils réintègrent ensuite comme des conspirateurs le dernier compartiment désormais vide, et s'empressent de baisser les stores côté couloir.

– Ouf ! Nous voilà à l'abri des regards indiscrets.

Le professeur a posé le panier sur la banquette, près du coin fenêtre.

– Vous voulez le voir ? propose-t-il.

Dans le genre question idiote…

L'abattant d'osier est levé. Les yeux s'écarquillent. À l'intérieur du panier se pelotonne un étrange animal, plutôt sympathique.

– Ça alors ! s'enthousiasme Timothée. On dirait un chat, et en même temps…

– Eh oui ! C'est aussi un chien ! souligne le docteur avec une fierté quasi paternelle. J'ai réussi à créer par croisements un animal de compagnie qui réconcilie les amateurs de chats et les amateurs de chiens. Un animal entièrement nouveau. Je l'appelle le chat-chien !

Les enfants émerveillés se penchent pour caresser l'animal.

– Miaou ? miaule la fillette.

– Ouah ! Ouah ! aboie le garçon.

Le chat-chien les regarde tour à tour d'un œil malicieux. Pour finir, il répond tranquillement :

– Miaouah !

Le train s'immobilise à cet instant.
C'est la ruée des voyageurs vers la sortie. Sur le quai, un haut-parleur bara-
gouine :

– Villedeau-sur-Gloupe, Villedeau-sur-
Gloupe… Terminus… Tout le monde des-
cend…

Mais la voix crachotante du chef de
gare est bientôt couverte par les ac-
cords martiaux de la fanfare munici-
pale. Au-dessus des musiciens flotte
une banderole révélatrice :

PREMIER FESTIVAL
DES FARCES ET ATTRAPES

Jean Gandin est déjà à pied d'œuvre. Comme promis, il se charge du comité d'accueil. Dans quelques minutes, il prononcera une allocution de bienvenue au nom de monsieur Bilbulblub, député-maire et grand ordonnateur des festivités, dispensé de discours pour cause de Xpschischpitz.

Mélanie et Cabot-Minet sont restés dans le compartiment.

– J'aperçois papi et mamie sur le quai ! signale triomphalement Timothée depuis le couloir.

La fillette considère pensivement le panier, puis, d'un geste résolu, s'empare de la poignée.

– Et si vous veniez chez nous ? suggère-t-elle au professeur. Je suis sûre que nos grands-parents seraient d'accord. On a une chambre d'amis à la maison. En attendant, personne ne viendrait vous chercher là...

Le grand-père, souriant, réceptionne les valises au bas du marchepied.

– Alors, les enfants, demande-t-il, ça s'est passé comment, ce voyage ?

Mélanie fait un signe au professeur tandis que son frère prend un petit air détaché pour répondre :

– Oh, rien de spécial, papi. Tu sais ce que c'est... juste le train-train.

INFORMATIONS

Cascade

PETITE HISTOIRE DE LA MAGIE

Un coup de baguette, quelques formules magiques, et des objets apparaissent, disparaissent ou changent de couleur, les ficelles coupées se reforment, les verres se remplissent... Le magicien donne l'illusion qu'il se passe devant vos yeux des phénomènes étranges, incompréhensibles et contraires à la nature alors qu'il ne fait qu'utiliser des trucages et des artifices. C'est pour cela qu'on l'appelle aussi « illusionniste » ou « prestidigitateur », mot d'origine latine qui signifie : « qui a des doigts agiles ».

D'où vient la magie ?

Les pharaons s'amusaient déjà des tours des magiciens. À la cour de Chéops, 2 600 ans av. J.-C., un illusionniste appelé Dedi donnait régulièrement des spectacles de magie. Mais

112

dans l'Antiquité, la magie était surtout utilisée pour impressionner les gens. Dans les temples grecs et romains, les prêtres utilisaient des effets spectaculaires au cours des cérémonies religieuses.

Au Moyen Âge, en Europe, on faisait la chasse aux magiciens que l'on accusait de signer des pactes avec le diable et on les brûlait vifs sur des bûchers. Même les bateleurs, avaleurs de pierres, montreurs d'animaux savants et autres cracheurs de feu qui donnaient leurs spectacles sur les places des villages n'avaient pas bonne réputation. Et l'on accusait souvent de sorcellerie les alchimistes, savants de l'époque qui cherchaient à comprendre les secrets de la nature.

Dans certains pays, les sorciers ont joué un rôle important dans la vie de tous les jours. Les sorciers des tribus africaines ont encore aujourd'hui un grand pouvoir sur les décisions du village, et on va les consulter avec crainte et respect.

Les grands prestidigitateurs

En réalité, à toutes les époques et dans tous les pays, les magiciens ont utilisé leur connaissance de certaines propriétés chimiques ou de certaines lois physiques inconnues du public. Le Français Jean Houdin était horloger et inventeur. Grâce aux accessoires qu'il bricolait avec talent, il est devenu l'un des magiciens les plus célèbres du XIXe siècle.

En son honneur, l'Allemand Ehrich Weiss prit le nom de Houdini. On l'appelait aussi le « roi de l'évasion » car il pouvait s'échapper de n'importe quel piège, par exemple une malle fermée par un cadenas et jetée dans une rivière.

Les illusionnistes ont chacun leur spécialité, ils créent leur propre ambiance, mystérieuse, exotique ou comique... Ils se font parfois aider par un assistant discret, qui leur tend les accessoires dont ils ont besoin, ou par un comparse caché dans la salle. Celui-ci joue alors le rôle d'un spectateur comme les autres (mais il a soigneusement préparé avec le magicien ce qu'il doit dire et faire).

Les plus habiles des magiciens choisissent des volontaires vraiment au hasard dans la salle, mais ils prennent des risques ! Si le spectateur est nerveux ou maladroit, il risque de faire rater le tour le mieux préparé. Le public ne peut pas faire la différence entre un comparse averti et un spectateur innocent.

Avec les progrès de la technique, les tours de magiciens deviennent de plus en plus sophistiqués. L'un des plus célèbres de nos jours est l'Américain David Copperfield qui fait voler de grosses voitures ou disparaître des monuments célèbres... Pour ces trucages spectaculaires, il utilise une armée de techniciens et un matériel technologique de pointe.

DU CHEMIN DE PIERRE
AU CHEMIN DE FER

Les premiers rails datent de l'époque des Grecs et des Romains. À Pompéi par exemple, les dalles de pierre de certaines voies étaient volontairement creusées d'ornières régulières et parallèles. Ces « chemins de pierre » permettaient aux chariots de rouler plus facilement. Lorsque deux chariots se croisaient, le conducteur le plus jeune devait sortir de l'ornière.

Les « chemins de bois », ancêtres des rails métalliques, ont été inventés en Allemagne au XVe siècle. Les wagons qui transportaient le charbon dans les mines s'enlisaient dans la boue des galeries. Les mineurs eurent l'idée de les faire rouler sur des troncs d'arbres fendus qui formaient ainsi un sol plat et solide. Puis ils fabriquèrent des rails en bois sur lesquels s'emboîtaient des roues creusées « en boudin ».

Les rails en fonte viennent d'Angleterre, où ils ont été mis au point par Richard Reynolds, en 1763. La fonte a été remplacée par le fer à partir de 1810, et par l'acier à partir de 1860.

La première locomotive à vapeur construite par l'Anglais Richard Trevithick, a parcouru le 21 février 1804 une distance de 16 km en 4 heures et 5 minutes. Mais le premier train à vapeur transportant des passagers n'a circulé que 21 ans plus tard, sur la ligne Stockton-Darlington en Angleterre (43 km).

La première ligne de chemin de fer française reliait Lyon à Saint-Étienne. Jusqu'en 1838, la locomotive était tirée par des chevaux dans les montées et elle redescendait les pentes sous l'effet de son propre poids, ceux-ci suivant tranquillement derrière.

Au début, on pensait que les roues métalliques ne pourraient jamais adhérer sur les rails lisses, qu'elles patineraient... et que les locomotives ne pourraient pas avancer, surtout dans les montées. Les ingénieurs imaginèrent plusieurs solutions : treuils munis de câbles pour tirer les machines, wagons à béquilles, roues à crampons, rails à crémaillère.

Les premiers trains de voyageurs comprenaient trois classes. Les wagons de troisième classe étaient très inconfortables. Ils n'avaient pas de toit et les passagers s'entassaient sur des bancs en bois. Les voitures de première classe étaient beaucoup plus luxueuses, avec des sièges larges et rembourrés. Les voitures de seconde classe étaient aussi confortables, avec moins d'espace cependant. Il n'y avait pas de couloir pour circuler d'un compartiment à l'autre, on descendait directement sur le quai.

À VISITER

• **Musée français du chemin de fer**, 2 rue Alfred de Glehn à Mulhouse (Bas-Rhin). On peut y admirer plus de 40 locomotives à vapeur, diesel ou électriques !

• **Musée provençal des transports urbains et régionaux**, gare SNCF de La Barque (Bouches du Rhône).

• **Musée des transports** à Pithiviers (Loiret).

INFOS À GRANDE VITESSE

Le mot « rail » vient du latin *regula*, la règle, qui guide le trait d'un crayon comme le rail guide la roue du wagon.

En France, les trains roulent à gauche parce que l'une des premières voies ferrées, la ligne Paris-Rouen, fut étudiée et construite par des Anglais. Ils placèrent tous les signaux à gauche, comme dans leur pays.

La SNCF détient le record du monde de vitesse sur rail depuis 1935. Ce record est actuellement de 515, 3 km/h (vitesse atteinte par une rame de TGV Atlantique légèrement modifiée, au cours d'essais). Mais lorsqu'ils transportent des passagers, les TGV ne dépassent pas 300 km/h.

Le chemin de fer le plus haut du monde se trouve au Chili (4 826 m). En France, c'est le tramway du Mont-Blanc qui chemine à la plus haute altitude (1909 m au Montenvers).

DES BLAGUES
POUR TOUS LES GOÛTS

La salière bouchée : dévissez le couvercle d'une salière. Bouchez les trous en collant un morceau de scotch transparent. Remettez tout sur la table... et passez aimablement le sel à vos voisins !

La clé mystérieuse : récupérez une vieille clé qui ne sert plus et ajoutez-la discrètement au trousseau de vos parents. Ils se poseront quelques questions avant d'avoir des soupçons !

Les chaussures qui rétrécissent : glissez une boulette de papier ou un morceau de coton bien aplati au fond d'une chaussure, de manière à ce qu'on puisse quand même l'enfiler... Son propriétaire se demandera si son pied a brusquement grandi, ou si c'est la chaussure qui a rétréci !

Le parapluie de Noël : découpez des petits sujets (fleurs, papillons, étoiles...) dans des papiers de toutes les couleurs, Accrochez-les avec un fil aux baleines d'un parapluie, refermez celui-ci de manière à ce que l'on ne voit rien... et attendez patiemment que son propriétaire sorte sous la pluie !

La cigarette infumable : percez une cigarette de minuscules trous d'épingle, elle devient impossible à fumer ! (C'est un excellent truc anti-tabac... mais le fumeur, lui, risque de ne pas du tout apprécier !)

Ces dossiers ont été établis en collaboration avec Nicole Bustarret.

L'AUTEUR

Jean Alessandrini est né à Marseille en 1942. Après trois années d'apprentissage au Collège Technique d'Arts Graphiques de la rue Corvisart, à Paris, il travaille comme maquettiste et illustrateur pour divers magazines et notamment pour la revue *Pilote*, où il est aussi scénariste, chroniqueur, graphiste...

En 1986, il se lance dans l'écriture de livres pour la jeunesse. Il a publié de nombreux ouvrages dans les collections Cascade.

L'ILLUSTRATEUR

Christophe Besse a été très intimidé d'avoir à illustrer le texte d'un auteur lui-même illustrateur. Les images qu'il avait à imaginer se devaient d'être particulièrement originales pour mériter cette confiance. Il espère de tout cœur que vous aurez plaisir à découvrir la galerie de portraits exposés dans le « Mystère Express ».

Christophe Besse vit à Paris, passe au moins quatre heures par semaine dans des trains de toute sorte, il a trois enfants et les fenêtres de son atelier donnent sur une cour de récréation. (Dommage, en cette circonstance, qu'il ne s'agisse pas d'une gare !)

COLLECTION Cascade

9 - 10

Achevé d'imprimer en juillet 1997
sur les presses de Maury-Eurolivres S.A.
45300 Manchecourt
Dépôt légal : juillet 1997
N° d'imprimeur : 59991
N° d'éditeur : 2927